1
モンスター娘のいる日常
Everyday that there is a monster girls.
…起きてくれないとこっちも起きれないんだけど…
D SPACE

OKAYADO

Everyday that there is a monster girls.

私は
だぁりんに
暖めてほしい
のッ♡
ギュッ
!!
あったかい…♡
だぁりんの体温が
伝わってくる…♡
にゅう♡
おおおおおお!
ぽろり
おおおおおっぱいがぁッ!!
お落ち着け
自分ッ!
変な気を
起こしたら…
ドキ
ドキ
しゅる
第1話

ギリィ
ギリ
けうッ

ちょちょちょちょッ
く首ィッ！
しっぽぉぉッ！
ギチギチ
〜〜〜〜ッ!!
極まってるッ！
頸動脈 完璧に
極まってるゥッ!!

たタンマ
ミーアッ！
ペチ
ペチ
これじゃあ
落ちる…！

だぁりん
乱暴にしちゃ
やだよぉ♡
むにゃ
むにゃ
二度寝
ーッ!?

こうなったら
何とかして
抜け出すしか…
ずり
ずり
ピクンッ
あ…
は…

ギリ
ギリ
ギシ
ミシ
ギリ
メキ
ぎぇええええッ!!
が…駄目っ…!
隙間が出来たら
その分だけ
キツく…!
ぐ
ガ
ギ
ギシ
ミシ
い…
息が出来
な…!
まずい…
このまま
じゃ…
落ちる
どころか…
窒息死して…
しま…う…
ピク
ピク
すり
ビクン
あひっ

YOUR LOGO HERE
あせっ
だ…だぁりんッ？
し…尻尾の先っちょは…
!?
弱点発見!?
コリ
コリ
コリ
ピク
ピク
ひゃう!!
ビクビク
ビクク
おおおッ
効果はバツグンだッ
シュル
シュル
拘束が緩んできたぞッ！
で…でも首だけは絞まったまま…！
ギリ
ギリ
ギリー
だぁりん
これ以上は…
まずい…だんだん意識が…
だありんんん!!
コスコスコス

早くほどいてくれええぇッ!
そ…そんな強くしちゃ…!!
ギュウウウウッ
…ーーッ♡
かはッ
シュルッ
!!
し…死ぬかと思っ…
も…もう…ダメ…
…い…イ……ッ
ビクッ♡
ビクッ♡
ビクン♡

くぅううう ッ
ビーーッ
ハァ
ハァ
ハァ
カン
ギリリリリリィ♡
ミシッ
もーっ
わかったよぉ
起きるってぇ
だぁりん
朝から
激しいん
だからッ♡
だぁりん？
あ…後
5分待って…

キュッ
ふぅ
やっとお湯たまった
ミーアが三度寝しないうちにお風呂で体を暖めてもらわないとな

ていうかミーアのホームステイのために色々改装したけど…
どれもこれもでかすぎるんだよなぁ
風呂もトイレも広すぎて落ち着かないし…
AD SPACE

………トイレ…
A.
B.
…どうシテるんだ…？

お風呂準備できた～？
ガチャ
ギキーーッ

あぁうん
今ちょうど出来たトコ…

ありがと
だぁりん♡
プルン
……!!?
それじゃ
一番風呂
頂きま～す♪
……

ふはぁ
あったま
るぅ～♪
日本の
お風呂って
いいねぇ～♪

本で読んだんだけど
日本には
オンセンっていうのが
あるんだよね？
いつか
だぁりんと
行ってみたいな～♡
いや
あの
その…
たぷん

もぉッ
何チラチラ
見てるの一っ!?
えっち！
ザバッ
そ それじゃ
僕は朝食の
準備を…
ニュルッ
どわぁッ!?
またかー
ザバァァァ

ぶ!!は!!
バシャ
バシャ
ちょッ
何すんだ
ミーアッ!
お風呂
なんだから
僕が暖める
必要なんて…

だき
っ

それに私
知ってるよ
オンセンには
コンヨクっていう
文化が
あるんだよね?
ちょ!!
ミーア!!
むにゅ
背中に
何かが!!
だから
だぁりんも
一緒にお風呂
入ろうよ…♡

ミ…ミーア…
禁則事項上
それはマズイんじゃ
ないか…?
コンヨクって
そんなにマズイ
ものなの?
オンセンには
そんなに
いけない文化が
あるんだ?
いや…
そうじゃ
なくって…
ならコンヨク
体験させて♡
だって私
文化交流のために
日本に来たんだもん
ぬぎ
ぬぎ
ちょ
ちょ
ちょ
だから
だぁりんも
協力して♡
だって…
コンヨクの相手は
だぁりんじゃなきゃ
やだモン…♡
私の…
初体験の
相手は…♡

キュッ
水
きゃう!?

つッ
冷たッ!?
体温がッ!!
何するのだぁりんッ!?

…当施設では混浴のサービスは行っておりません!

パタン
もーっ!
ツレないんだからーッ!

ポタ ポタ

もん もん もん もん もん

ゴン
ゴン
ゴン
ゴン
ゴッ

ANM48(アニマル)の新曲「エブリデイけもみみ」がランキング1位を獲得しました!

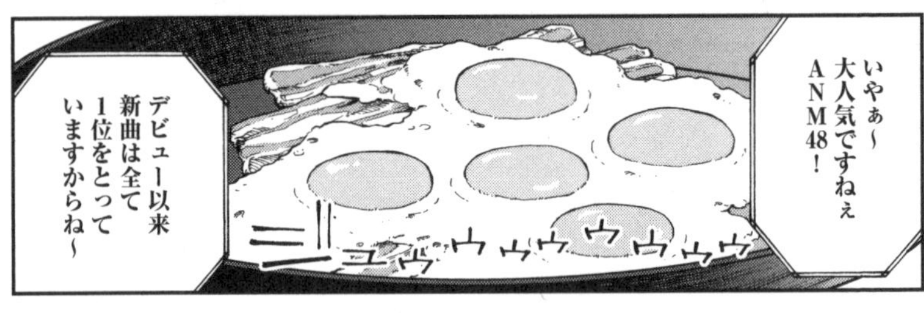
いやぁ~大人気ですねぇANM48!
デビュー以来新曲は全て1位をとっていますからね~
ニュヴウゥゥウゥゥヴ

ANM48は世界初の亜人種のみで結成されたアイドルグループです
そのインパクトや可愛さも相まって人気を博しております
AD SPACE

これも三年前に施行された新法案のおかげですね

他種族間交流法
今まで政府に
秘匿されてきた
人類以外の種族
彼らとの交流を
行うために
制定された
この新法案

これにより
文化交流が
積極的に進め
られてきました
幸い大きな
トラブルもなく
人間社会に
溶け込んで
いってますね

でも思ったほど
世の中変わり
ませんでしたね
…そんな
ことは
無いよ…
朝から
どれだけ
大変だったか…
はぁ…
数日前までは
こんな事になるなんて
思わなかったのに…
ズズーズズー…
まったくだわ

って
うわ!?
おはよう
来留主公人クン
どうしたの
そんなに驚いて…
私をお忘れ?
ビクーーン

私は
他種族間交流
コーディネーターの
墨須よ!
いや知って
ますって…
そうじゃなくて
何でここに
いるんですか…

私にもご飯
頂ける
かしら?
メシ
食いに
来たの!?
あとは…

貴方が
禁則事項を
破っていないかの
確認に…ね
コオオオオオオオオ
ビクッ

文化交流のために来た亜人種
彼女達を傷つける事は他種族間交流法に基づいて厳罰に処されるわ
ラミアを　やっつけた！

ホストファミリーとして貴方は法案に無知だからこうやって確認に…
無知っていうか！

そもそも墨須さんが間違えてミーアを連れて来たんじゃないすか！
ウチはホストファミリーじゃないのに!!
何が他種族間交流コーディネーターですか！
…記憶に無いわね…？
オイてこ!!

まぁそれはともかくミーアが「ここがいい」って言った以上
コーヒーおかわり
貴方には勉強してもらう必要があるのよ
んな一方的な…

じゃあ確認するけど…
傷つけてなんていませんよ！
AD SPACE
COFFEE
られる事はあっても…

…キズモノにするっていう意味もあるのよ？

そ…そんな事…!!
わたわた
わた
わた
ちゃんと生殖器もあるしヤる事ヤれるからね

迫られた事あるでしょ？彼女達は情熱的だから
……

だけど――
種族を代表して来た女の子の純潔を人間が散らしちゃったらもう外交問題よ
もしも貴方が一線を越えちゃった時は――

法に基づき貴方を逮捕
ジャキャキャ
えっ!?
POLICE
彼女は本国に送り返される事になるわ
日本に来るために頑張って日本語を覚えたんでしょうけど…
可哀想だけど決まりだからね
で?SEXしたの?
してないです!断じて!
でも少しは考えたんじゃない?

彼女 下半身は
蛇だけど
スタイルいいいし
その上
美少女だし
胸だって
大きいいし

何より
貴方に
ぞっこんだし
チャ

オマケ
にー
ス

貴方は
押しに弱そう
だしね…♡
ちょ…

ドゴォ
ベキィッ
ばきぃ
ちょっとーッ!!
何やってるのーッ!?
だぁりんに手を出したら
墨須さんでも
許さないんだからねッ!!
今イヤな音が…
だらーん
意外と苦労してるみたいね…
ホカ
ホカ
聞いてるのッ!?
ブー!!
あぁ冗談冗談よ
だぁりんクン
それにもう帰るところだから

くれぐれも禁則事項には気をつけてね
それじゃ♡

しかたない朝食は牛丼屋にするかぃ

……

…あの ミーア…？
ちゃんと体拭かないとまた冷えちゃうよ？

………

禁則事項ってそんなに大事…？
え？

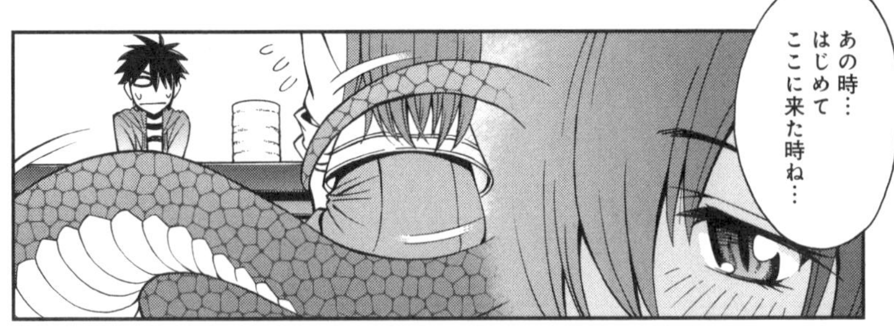
あの時…はじめてここに来た時ね…

私達ラミアは半身が蛇だから初対面の人には必ず怖がられるの
だから受け入れてもらえるか不安だったんだけど…

でもだぁりんはそんなの全然気にしなくて
ブルッ
ファサッ
むしろ私の事気遣ってくれて…

笑顔で
私を受け入れて
くれた…
人間の人に
あんなに優しく
された事
なかったから…
だから私
すごい
嬉しかったの
そりゃ…最近は
ニュースとかで
よく見るし
ニュル
そんな怖がる
ような事は…
AD SPACE

禁則事項なんて関係ないよ
だって…だぁりんになら何されてもいいモン…♡
傷つけたっていいんだよ？
ちょ…ミーア……!?
ニュルリ

私の体に…
シュル
ちょぉあッ!?
!!
初めての消えない傷跡を…♡
だって私…
だぁりんの事大好きだから…♡

…………

ゴメン…
それは
出来ない…
何でッ!?
そんなに
禁則事項が
大事なのッ!?

…そうじゃ
なくて…
ギ
ギ
ギ
そろそろ…
お…
折れる……!
ギ
ギ
ギ
はッ

だだありんっ!!!

大丈夫よ
肩が外れた
だけで骨は
折れてないわ
ごめんねー
だぁりん
ごめんねー
ズべー!!
ギギギギ
ホント
苦労してる
みたいね…

モンスター娘のいる日常
Everyday that there is a monster girls.

A.
B.
…………トイレ…
…どうシテるんだ…？

Everyday with the MONSTER GIRL
Everyday with the MONSTER GIRL
ROCK
ROCK
第2話

デ〜ト♪
デ〜ト♪
今日は
デ〜ト♪
Lingerie Shop Melusine
Liquorst
TAM
今日は
だぁりんと
デ♪エ♪ト〜♪
デート♡
もうやめて
ミーア!
はずかしい!!
きゃほ──っ
っていうか
そもそも!
これはあくまで
社会科見学であって
デートじゃないん
だけど…

じゃあ
社会科見学
デートだねっ♪
ぱ
…………
早く一緒に行こ
だぁりんッ！
墨須さんにも
言われたじゃん！
う
うん…

それじゃ
社会科見学に
あたっての
最終確認よ
ホストファミリーは
留学生を一人に
してはならない
常に行動を共にし
人間社会に不慣れな
彼女たちを
サポートすること！

まぁ平たく言えば
常に一緒に
いなさいってことよ
街の案内
よろしくー
あの～
墨須さん…

そういうのって
コーディネーター
の仕事じゃ
ないんですか…？
あなたの
フフ…
私は色々
忙しいのよ

でも
ラブホとかに
連れ込んじゃ
ダメよ？
ゼクッ
墨須さん
面倒ごとは全部
押し付けるから
なぁ…
おかげで最近
バイトにも
行けないし…
にっこり
さぁ行こッ
だぁりん！
のおおおおおおおお
ガガガガ
ズザザ
見学開始〜ッ♡

楽しぃ〜〜〜ッ♪
日本って堅苦しいイメージだったけど面白いトコ沢山あるね〜♪

でもどこも人間用で狭かったのがちょっと残念だったかも…
カラオケとか行ってみたかったな〜
カラオケの個室は狭いからなぁ…
イメージ図

まぁ社会全体が全種族対応にはなってないからしょうがない…
あ！

見て見てだぁりん！全種族対応のお店あったよ！
入ってみよッ
全種族対応店
他種族間交流法査定機関認可店
ちょ!! ひっぱんなし‼

ってー…

ラ…
ランジェリーショップーッ!?
どん

じゃあ僕は外で待って…
だぁめッ!
いつも一緒にいなきゃダメって墨須さんに言われたでしょ?
うじ~!!
すいませーんラミア用はありますか~?
い…居心地悪ゥ…ッ!

ねぇだぁりんどっちが似合うと思う?

…っていうか…
ミーアってパンツはいてるのか…?
あの体でどーやってミ?

うえ!?

私
あんまり
ブラしないから
解らなくって♡
くいっ
チラッ♡
ガパッ
いいや僕も
ブラとかよく
解らないし…
もうくッ
ヒュッ
グイーッ
へあッ!?

シャッ

ちょッ!
なんで試着室に
引き込む!?
だって
どんな時も
一緒にいなきゃ
ダメなんでしょ?

だからだぁりん
直接見て
好きなのを
選んで…♡
さっ
ばっ
私
だぁりんが
好きなのを
着たいな♡
ギュ
だって私…
だぁりんにもっと
好きになって
ほしいから♡
たぷん
だから
よく見て
選んでね…♡

………
……どュ

どれも似合うよッ！
あッだぁりんっ!?
じゃあ全部買っちゃおうかーッ！

ていうか！ここまで一緒じゃなくていいだろ！
トイレとか一緒じゃんかよ！
…ん？

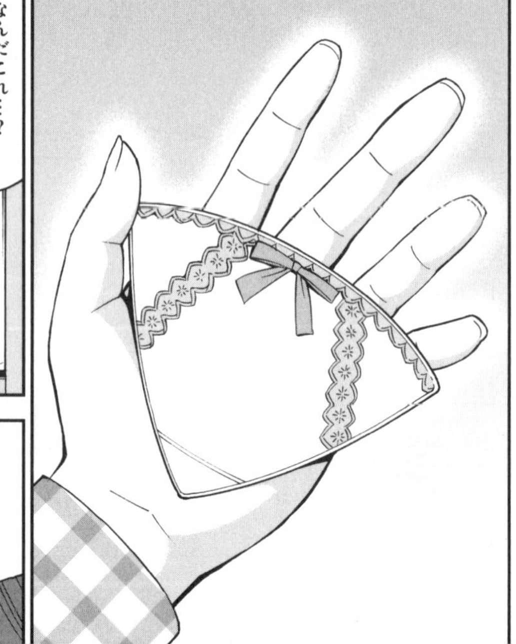

なんだこれ…？シリコン製？ヌーブラ…にしては形が変だな…
裏面が張り付くカンジで生暖かい…？
？
思わずもって来ちゃった

だ…だぁりん…？

その…ムリヤリ
試着室に
引っ張ってきたのは
謝るから…
だだから
パンツ
返してぇ〜ッ

え

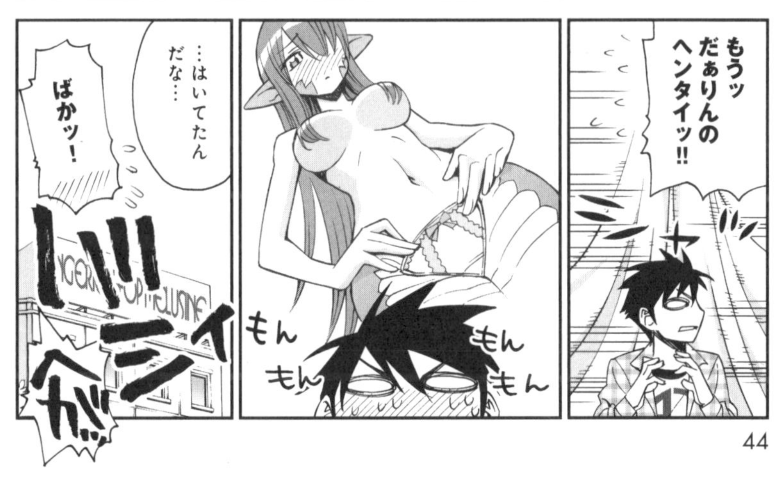
もうッ
だぁりんの
ヘンタイッ!!
…はいてたん
だな…
もん
もん
もん
もん
ばかッ!
バシィィン!!

もおッ
だぁりんたらッ！
パンツいじるなんて
ヘンタイさんの
やることだよッ!?
いやあれは
知らなかったからで
そんな下心は
無いって！

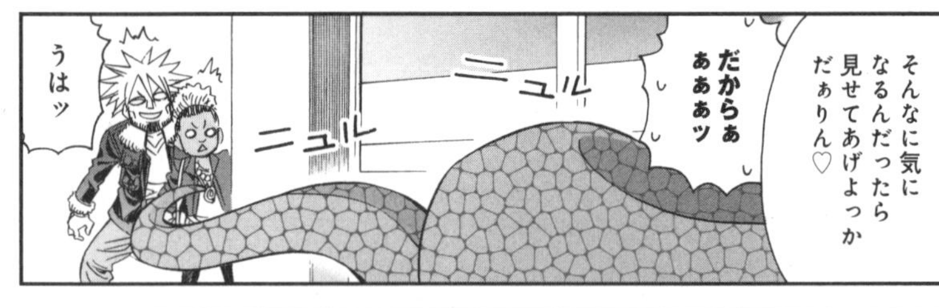

そんなに気に
なるんだったら
見せてあげよっか
だぁりん♡
ニュル
だからぁ
あぁあッ
ニュル
うはッ

なんだありゃ!!
マジヤベェ!?
ゲラ
ゲラ
ゲラ
ゲラ
だぁりん
だってよ!!
何アレ
チョーキモイん
ですけどーッ！
ゲラ
ゲラ
ゲラ
ゲラ
ゲラ
ブチッ
ヒュ

ああッ
ちょッ
だぁりん!?
今わざと
当たりに
こなかった!?
ゲラゲラゲラゲラ
ゲラゲラ
しゅうううう
ミ…ミーア…
禁則事項を
思い出せ…!

「他種族の彼女たちを
傷つけてはいけない」
っていう決まりは
覚えてる?
これは逆に言えば
彼女たちが
人間を傷つけることも
許されないって
言うことよ
他種族の人たちが
人間社会に溶け込んで
きてるって言っても
まだ完全じゃないわ

まだ軋轢も
いたる所に
残ってるし
抵抗を持っている
人たちも大勢いる
カチャ
特に
ミーアちゃんみたいな
人との違いが
大きい種族は
それが顕著でしょうね

そういう他種族に対して
無分別な輩が
もしあの子を怒らせて
彼女が暴力を
振るったりしたら…
やっぱり彼女を
本国に
送り返さなくちゃ
ならなくなるわ
だから—…

彼女を守って
あげてね
だぁりん
クン♡

パミーャッ
ゼクッ

他種族ってああいうのいるんだ〜
ピピッ
テイローン
私ナマで見たの初めて〜
ラミア発見なうw
カシャ
パシャ
なんだアイツカレシか？

カシャ
ああのちょっと皆さん!?
カシャ
勝手に写メとるのはちょっと…！
カシャ
ピピッ
パシャ
テイローン
ピピッ
パシャ
やめてもらいたいんスけど…！
パシャ
パシャ
カシャ
パシャ

だぁりん…私人のいないトコに行きたい…
うーん…
家に帰るにもちょっと遠いし…
カラオケは狭くて入れないしな〜
どこか人目につかない所は…

HOTEL LOVELESS
ホテルラヴレス
………
ここ…か…！
？
料金表
REST 休憩
すぎ――――ん

シャワーー…ッ
………

お…落ち着け自分…！これは緊急避難であって決してやましい思いがあるワケじゃない…！
ドキドキドキドキドキドキ
だッ…だけど何だこのラブホ空気…！き…緊張してきた…！

ガチャ
ふーっ

ここのお風呂
だぁりんの家ほどじゃ
ないけど大きいねぇ〜
ホカ
ホカ
ミ
裏声
…ミーア
大丈夫…？
ギ
ニヤ
うん〜
ちょっと
楽になったよ
でもここ
ホテルだよね？
お泊まりの準備
してないけど…
ああ…
休憩だけ
だから…
泊まらないよ
ホテル
なのに？
じゃぁ
ここって
何する
トコなの？
ナニするんだろうねぇ〜!?
ところで
コレ何？
ガム？
ゴム!!
ソッ
それは置い
とこーかッ！
トスッ

………

…やっぱり
人間にはまだ
抵抗があるん
だよね…
優しくしてくれる
人たちも
法律があるから
そうしてるだけ
なのかな…

だぁりんが私に
優しくしてくれるのも
逮捕されるのが
怖いから…？
そ そんな
こと――
お

見て…
だぁりん…
しゅるっ
たぷん
私…
怖くなんて
ないよ…?
……!?

私……
こんなに
無防備だよ？
もし今
だぁりんに
傷つけられても
何もしないよ…！

それでも…
だぁりんは
私のこと怖い…？
ミーア…
…僕は………
コッ

ドガァ
動くなッ!!
どあ!?
他種族間交流法保安局だッ!!
ジャキッ
ラミア族の少女を淫行目的で連れ込んだとの情報を入手した!
……!!?
パラ
パラ
もしこの情報が正しかった場合お前を他種族間交流法に基づき――…

あら
だぁりんクン？
何してんの？
墨須さん!?

墨須さん…
なんでここにいるって
解ったんですか…？
諜報？
マジで？
あ、もう帰りますー
あら
国家権力の情報収集能力を
甘く見てもらっては
困るわね？

まぁ
ぶっちゃけ
ツイッターよ！
CoordinatorSmith それってどこのラブホかしら？
2分前
Please_Roll_Me 大丈夫じゃない問題だ
4分前
kenta_love2 他種族間交流法的に大丈夫
5分前
Onmyoudou_Master 男と一緒じゃなかった？
7分前
nuko_gakuen ラミアの女の子がラブホ
10分前
…………

でも
そうだったの
好奇の視線を
避けて…
なら
仕方ないわね

だぁりん……
POLI

その…
さっきの答え……
そうそう！
ぱっ
よかったら
ウチの車で送って
あげましょうか？
?
……
どうしたの？

………
ううん
もう…
いいの……

おッ
ガーーッ

ゲラ
ゲラ
ゲラ
ゲラ
んだァ!?
ラブホにも来てるぜ
さっきの蛇女ァ!!
ちょッ!!
マジキモイん
ですけどーッ!?
ゲラ
ゲラ
ゲラ
ゲラ

何
やれんの
アイツ!?
そもそも
●●●ついてん
のかよ!!
ウケル〜ッ!!
アリエ
ナイ〜ッ!!
ちょっと
アンタたち!

〜〜ッ!
ミーア
ちゃ…

ガシャァ
がばっ
ちょ!
パラ
パラ
I'M MOTHE FUCKE

……
やりすぎた…かな？

男の子でしょ ガマン しなさい

大丈夫よ
ちょっと関節
痛めただけ
じゃない
はい…
手当てありがとう
ズキ
ズキ
あの〜
殴った相手の
ケガは…
あなたほどじゃ
ないわよ
殴ったほうが
重傷って
格好つかないわね〜
まぁ安心しなさい
あの二人には
上手いこと言って
示談させたから…！
ぞくぅ
それと一応
確認しておく
けど……
コオオオオオオオオ
その類の
ケガって…
転んで
ぶつけました！
なら
いいわ！
それじゃ
お大事に
ね〜

あの…
ミーア！
だぁりん…
どうして
あんなことを
……？

いや
あの尻尾ビンタは
僕から当たりに
行ったんだし
問題にする程じゃ…
いや
そっちじゃ
なくて…
まぁそっちでもあるけど…

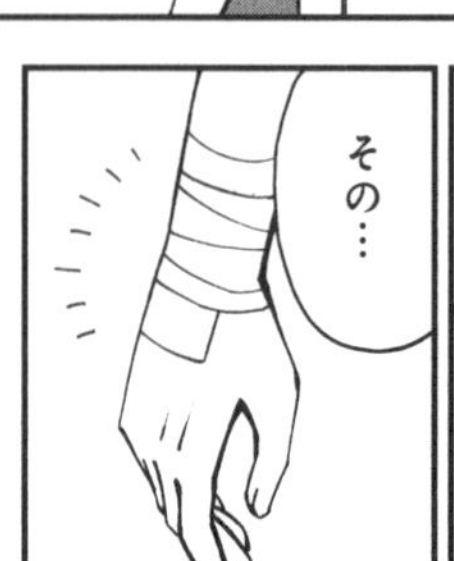
その…

だってミーア
一発ブン殴らないと
気がすまなさそうな
顔してたからさ
キミがやるのは
禁則事項だけど
僕がやれば
ただのケンカだし？

あんなやつ
殴ったくらいで
送り返されるなんて
勿体無いよ
それに…
あ〜…

ラミアとか
他種族とか
言う前にさ…
ミーアは一人の
女の子
なんだからさ
その女の子に
酷いこと言う
あいつらが
許せなかっただけだよ
ホント
それだけ
それが答えじゃ
ダメかな…？
だぁりん…

だぁりん――ッ!!
どぅあ!?

……やっぱりこうなるのか…
嬉しい……ッ♡
だぁりん 私のこと 一人の女の子として見ててくれたんだねッ♡

じゃあ さっきの続き しよっか♡
えぇ!?
ぬぎっ
ちょッ! せっかく本国送還の危機を乗り越えたのにッ!
これじゃ水のアワに…!!
大丈夫! このまま初体験の壁も乗り越えられるよ!

ところで
だぁりんクン
今日の晩御飯
何？
ガチャ
ばっ

なッ
何してるの
墨須さん!?
何って…
お腹すかせて
るんだけど？
ついでに夕飯
ご馳走になろう
と思って
そんな
一方的な！
ついでって！

あ〜〜
示談させるの
大変だったな〜
……晩御飯は
カレーですが
よかったら
どうぞ…
ぐ
あらホント？
なんだか
悪いわね〜
う〜ッ せっかく
いい雰囲気に
なったのにぃ〜ッ

それとミーア
これ
忘れてたわよ〜
きゃーッ!!

モンスター娘のいる日常
Everyday that there is a monster girls.

もん
もん
もん
もん

らんらーんらん♪
ららん♪
らん♪らん♪らん♪
らん♪
ららららん♪
らららん♪
♪
ご機嫌だね
ミーア…
どうしたの？

もーッ♡
だぁりんてば
白々しいん
だからッ♡
バシ
バシ
バシ
バシ
ご機嫌にも
なるよーッ♡
いだいいだいいだいってだ!

だって…
昨日の
だぁりん…

かっこよかった
なぁ〜〜〜っ♡
ミーアを
傷つける奴は
許さないッ!
脚色されて
ないかな!?
それが僕の
答えさッ!
はうっ♡
僕!?
コレ

だぁりんが
ピンチの時は
今度は私が
守って
あげるよ♡
あはは…
まぁ
ピンチなんて
そうそう
無いけどね
ガサ
ザッ
バサァ
ガシャーン
うわ!?
ガシャ
どうしたの
だぁり…
ん

ちょっ
だ…
だぁりんんんんッ!?

第3話

サァァァァ
う…
パチ…
ここ…
ガバッ
わッ!?
なッ
なんだーッ!?
どこだ
ここはーッ!?
起きたー？
キャハッ
き…
君は…
誰だ!?

パピ！
パピはハーピーのパピだよ！
…え…え…!?
パピハピパピ？
だからハーピーのハピ…
じゃなくてパーピーのパピ…？
パヒ？
パーピーパパピハピ…
パピパハパハピ？
のわッ!?
ダイジョブー？
…助けてくれると嬉しかったんだけど…
ゴキ!!

ていうか
なんで僕を
さらった!?
ホスト
ファミリーの
人は!?
単独行動は
禁止されてる
だろ!?

だから
アンタを連れて
来たんだよ?
僕はキミの
ホストファミリー
じゃない……!

イチゴ
バニラ
チョコ
バニラ
アイス
アイス
キャンディ
あります

あれ!
あれ何!?
食べ物!?
人の
話を
きけエッ!!
食べ物
なのかーッ!?
チャカ
チャカ

チャ

…

……?

あれ？
アンタ誰？
トリ頭
だーーーッ!!
三歩あるいて
忘れよった!!

タシュゾクカン
コウソウサイ
とかいうの覚えるまで
お出かけはダメ
だって言うからさー
他種族間
交流法な
わはーっ
でも パピ
あんな
ムツカシイの
覚えらんないよ！

だから
たーみねーたー
の人が
よそ見してる
時にね
コーディ
ネーターね
飛んで
逃げて
きたの！
それマズイん
じゃないの？
ダイジョブ
ダイジョブ！
何度か逃げたけど
怒られなかったよ！

でも次
逃げたら
キンシンソーカン
とか言われたん
だけど…
どーいう
意味かな？
本国送還じゃ
ないかな!?
弩ピンチじゃ
ないかッ!?
あ
ああーッ!!
あらら
まだ一口も
食べてない
のにーッ!?
べしゃっ
うえーッ
持ちづらくて
ヤダーッ！
ぴーーっ
そりゃ
そんな手(?)
じゃなぁ…
はあ…
じゃあ
コレ
食べる？

はぷっ
…あの……
自分で
持って
くれない?
まらおろひ
ひゃうはら
もつへへ!
それじゃ
イタダキ
マース♡
チロ
チロ
いや…
これは…
絵面的に…!
ん♡
♡
ぬぷ
ぬぷ
ちゅぱ
ちゅぽ
ぷは
おいし
……♡
ぷちゃ

あの人何やってるのかしら…
見ちゃいけません！
ヒソ
ヒソ
きっとアレよモーソーしてんのよ
ヘンタイかしら…
しゅ…終了ーッ！
ちゅ
アイスはここまでッ!!
ぽん
あうーべたべた～
…………!!
ケホ
ケホ
ぬと
ぬと
と…とりあえずキレイにしなくちゃ…
あっちに水道があるからー

何やってんだーッ!?
何って水浴びだよ～？
そうじゃないーッ!!
なんで服脱いで…！
あれ あれ あれ
フツー水浴びする時は脱ぐでしょ？
プーッ
そんなことも解らないの～？
トリ頭に馬鹿にされた！
いいから早く出なさい！
いくら子供でも
ザパ
ザア

チャ
町の中に水浴び場があるなんてイイね～♡
ふはぁ～ッキモチイイ～ッ♡
プ
……!!

こっ…この子…人間社会の常識を知らなさすぎる…!
いくら子供でトリ頭でも限度ってモン…

が

どあーッ!?
何ボーっとしてんの?一緒に遊ぼうよ!
ジャ
やめてー!巻き込まないでー!!

見つけたー―ッ!!

！
ミーア!?
よく
ここが
解っ…
ゴオ
オオオアッ
このトリ娘…ッ!!
だぁりんをさらった挙句…そんなことまでしてるなんてッ!!

うらやましすぎるッ!!
カッ
何言ってるのーッ!?

私だって
だぁりんさらって
愛の逃避行
したいのにーッ!!
あんたなんか
うらやま死刑
よーッ!!
なんだとーッ!?
やるかー!?
ちょッ
二人とも
何を…
トリガラ娘
めーーーッ!
白湯(パイタン)スープに
してやるーッ!!
わッ!?
パイパンが
なんだっ
てーッ!?
何言ってんだ
お前ーッ!?
アンタが
何言ってる
のよ!?

二人とも
いい加減に
しろーッ!!
こっちが
先に
ダウン
するわ!!
こんな所で
キャットファイト
だなんて
いい見世物に…

…って
あれ?
ザワ
ザワ
誰も
見てな…
い
!!?
動くな
よーッ!!
ケーサツの
人よんでーッ
いや
ハシゴ車
だろッ
ママ〜
ママ〜

降りられなくなっちゃったのかな？
ここれちょっと危ないんじゃない…!?
二人の格好も危ないよ!!
服きろ!!
でも一刻をあらそうよな…どうすれば…!?
ダイジョブ！パピに任せて!!
あの高さならダイジョブだよね！突っついて落としてくる！
やめんか――ッ!!
どざーーっ

は…
羽根が水吸って
うまく
飛べない…!?
水あびしすぎた!?
は〜〜…

いいかパピ…
人間は
ハーピーとは
違うんだ!
あんな高さから
落ちたら
怪我どころか
命にかかわるぞ!

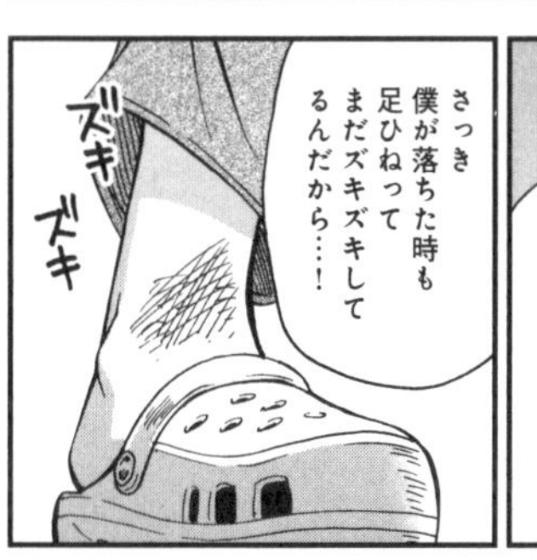

さっき
僕が落ちた時も
足ひねって
まだズキズキして
るんだから…!
ズキ
ズキ

……
大丈夫!
ここは私に任せて
だぁりん!
ラミア族は
木登りが
得意なんだから!
ギュ!!

よっ
しゅるッ
スルスルスルーッ
よぉし…
このまま
あの子 助けて
だぁりんに
格好いいトコ
見てもらうん
だから！
ガサ
ガサ
おおーーーッ
ていうか
この木
葉っぱ
多いッ！
あれ？
あの子
どこだっけ？
ガサ
びっくぅ
ガサ
パキ
ボキ
いたたたッ
ガサ
み～つ～
け～た～
ガサッ
ぜェ
ぜェ
きゃあああッあ！？
おばけーッ！？

きゃ…
あッ!?
あ
あ
あ!!

……ッ!!
やっぱり羽根が
重い…ッ!!
うまく
飛べな…!

……?
!
げ…
げほっ
ひょっとしてパピを助けてくれた…?
パピ
よくやったな…!
ぐっ
えらいぞ…!

ワーーッ
パチ
パチ
パチ
パチ
パチ
ペコ
ペコ

うう…私だって頑張ったのに…
大丈夫解ってるよ

キ
!!
おや？

子供が木から降りられないって聞いたんですが…
お巡りさん…
おそい

それならこの子のおかげで無事に降りられましたよ
本当ですか！

ご苦労様であります！
ところで——…

他種族の
留学生の方ですね？
ホストファミリーの方は
ご一緒ですか？

私は
だぁりんが
いるけど…
あ
キンシンソーカン
されちゃうん
だっけ？
だから
本国送還！

この国から
追い出さ
れるって
ことだよ!!
ヒソ
ヒソ
ヒソ
ヒソ
ヒソ
……
えぇーッ!?

ひょっと
して…
ビクッ

………
ギュッ

……!

ぼ…僕がホストファミリーです！
二人ともウチにホームステイしてます！

だぁりん………

………

でしたら証明書の提示をお願いします
しまったァァッ

それならここにあるわ！
他種族間交流留学生身分証明書
HAP-00001
氏名 パピ
種族 ハーピー

いやぁ…
すごいですね
あんな短時間で
どうやって
証明書を
用意したんですか？

墨須さん！
うん？

いいえ
証明書は
元から
あったのよ
へ？
なんで…？

だって
逃亡の常習犯の
ステイ先なんて
見つからないから
…お願いしようと
連れて来る途中に
逃げられちゃってね
だから
だぁりん
クンに
押し付…
コホン
パピが逃げてた
コーディネーターって
墨須さん
だったの!?
…って
え!?
ってことは
まさか…!?
COFFEE
Instant

というワケで
パピちゃん
ここが貴女の
新しい家よ
ホントッ!?
ええーッ!?

一応 彼が
この家の主人だから
彼の言うことに
従うようにね
…
はーい!
ちょ!
二人も同時に
ホームステイなんて
いいんですか!?
いいんじゃ
ない?
べつに
墨須さん
こういう時 本当
雑ですよね!?

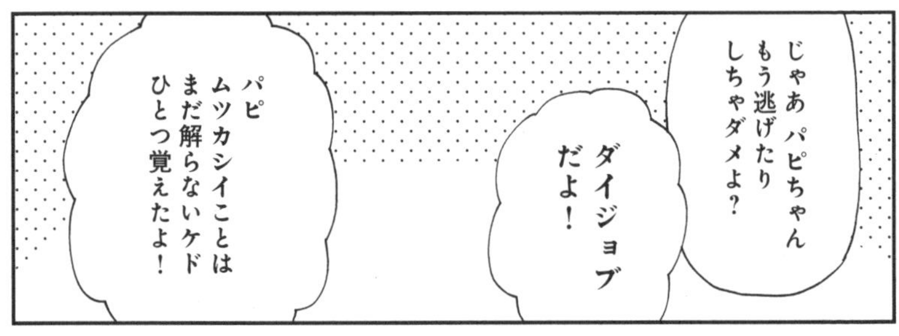
じゃあ パピちゃん
もう逃げたり
しちゃダメよ?
ダイジョブ
だよ!
パピ
ムツカシイことは
まだ解らないケド
ひとつ覚えたよ!

これからは
いつも
ご主人と
一緒にいれば
いいんだよね♡
よろしくね
ご主人ッ♡

ねぇ
ご主人
お風呂いこッ！
水浴びの続き
しようよッ！
ちょ！
引っ張る
なッ！
まだ足
いたいってのに
いや…
ていうか…
スッ
ビクッ

いいんじゃない？
にー
ぱっ
じゃあだぁりん
パピちゃんの相手
よろしくね！

……………
あ…
うん？

カゼひかないようにねー
？

ミーアちゃん
意外と冷静ね？
反対するかと
思ったけど？
べ！
別にどうってこと
ないですもん！

だぁりんと
一つ屋根の下
っていうのに
邪魔が入ったのは
ちょっっっっっっっと
アレだけど…
ギリ
ギリ

でもパピちゃん
子供だし？
なんたって
子供だし！
それに
子供だし…
フフン！
大人の
余裕って
ヤツですよ！
あら

パピちゃん
ミーアちゃんと
同い歳よ？
ハーピーは
空を飛ぶために
小さい体躯に
進化したのであって
見た目と実年齢には差が…
だぁりん
やっぱ 私が
相手するよッ!!
ガーン
ぎゃあ
いい？
だぁりんは
私のだぁりん
なんだから！
わしゃ
手を出したら
許さない
からね！
パピ
手なんて
ないもーん
わしゃ
か…
体はもつ
だろうか…
うう ぅ…

モンスター娘のいる日常
Everyday that there is a monster girls.

……あの……
自分で
持って
くれない？

まらおろひ
ひやうはら
もつへへ！

注意!!
ひったくり
多発路線
ひぃはぁ
ひぃはぁ

朝イチで
買い出しに
行くハメに
なるとは…
24時間営業の
スーパーが
近所にあるとはいえ
キツい…
ずっしり

2人が起きる前に
帰って
早く朝食
作らんとな…
う～ん
う～ん
だぁりん
あったかぁい…
今日はパピのトコに
行ってくれて
たすかったぁ

ミーアもだけど
パピも
よく食べるから
なぁ…
ウチの家計は
大丈夫
だろうか…
注意!!
ひったくり
多発路線
ドドドドドドドド

第4話

ぶやああああう
止まれ
ガゴッ
カッ

よもや本当に出会えるとは…!
まさに運命!!

我が名はセントレア・シアヌス!
誇り高きケンタウロス族なり!
貴方が我が主(あるじ)となる運命の人か!
ドドン

…ん?
パラ
パラ

ああ
セントレアちゃんね？
特別に
単独行動を
許してるのよ
ケンタウロス族には
仕える〝主〟を
自分で探すっていう
伝統がある
らしいから
主？
ホスト
ファミリーの
ことじゃない？
だって
留学中は
ホストの
ひうほろひ
ひはふあぁぁぁ
墨須
さん？
悪いけど
私
今日は非番
なのよね～
だから
彼女のことは
お願いして
いい？
は!?

んじゃ
おやふ
みぃ～
ゴロン
ちょ!?
墨須
さ……
……
それにしても
日本のまじないも
馬鹿に出来んな！

「交差点に全速力で突っ込み衝突した者が運命の相手」とは…！
古くから伝わるまじないなのだろう？
キミがやったらただの交通事故だよ！
死にかねんわ!!

ていうか僕は運命の相手じゃないよ…
ていうか古いよ…
だいいちそれまじないじゃなくて漫画だし…
なッなんと!?

やはりちゃんとトーストを咥えるべきだったか…!?
その知識どこで仕入れたの…
不覚…!!

そもそもなんでこんな朝から運命の相手探してるの？
しかもこんな乱暴な方法で…
うむそれは…
ドドドドド

ヒャッハー!!
きゃあッ!?
ヴォー
危ない!!
どあ!?
ばッ
おのれ…!
まだ罪を
重ねる
か…!

むにゅうううう
い……!!
息が…!!
～～～～ッ!!
ぶはッ
でっ でかい…!!
すッ すまないッ!
チャッ
コホン
ヤツが最近ここ一帯を荒らしているひったくりだ!
誇り高きケンタウロスとして捨て置くわけにはいかぬ!

我が剣にかけて！
必ずや奴を捕らえてみせようぞ！
だが他種族間交流法により私は奴に手出しできん
故に共に戦ってくれる運命の主を探していたのだ
その前に銃刀法違反じゃないか…？

だが致し方ない！もう貴様が主でなくともかまわぬ！
共に来てもらうぞ！
わ解った！解ったよ！
ムネ
ガシ…!!
じゃあ背中に乗せてもらうね
相手バイクだし

ヒュ
おわッ!?
ザッ
あ危なッ!? 何をするかッ!!
私は馬ではない！主で無いなら無礼はやめて頂こう！
ま全く…！やはり日本のまじないはアテにならんな…！
…？
じゃあどうやって一緒に行けばいいのさ…
……

Not Found
404 Error
ブロロ
ィィ
ィィィィー

ヒャッハ〜♪
悪くない
稼ぎだぜぇ〜♪
10000
1000

そこまでだッ!!
ぎょッ

盗人め！
神妙に
縛につけッ!!
さもなくば
己が罪の
深さとッ！
カカカカカッ

我が剣の
切れ味を
味わうことに
なろうぞッ!!
いいか!?
妙な所を触ったら
叩き落とす
からな!!
ぼいん
ぼいん
だったら
スピード
落としてーッ!!
さ
さっきの
馬女!?
ヒャハッ!
三十六計
逃げるに
如かずッ!
逃が
さん!!
安全運転
してーッ!!

オオオオオオオオン
急カーブ注意
キャキャッ
うひッ
急カーブはダメーッ!!
おち! 落ちるウッ!!
暴れるな馬鹿者ッ!!

ドドドドド
ギャ
どあっ

他愛ない！その程度かッ!!
わ！わーッ!!
ぴっちり
!!
すけ！透けてるッ！
!!
〜〜ッ!!
ギャッ
ヒャッハアッ!!

ドドコ
ヒャハアッ!!
ヒャッ
ギャ
ギャ
ギャ
ヒャッハー!!
あばよ馬女ァ!!
小癪な! その程度ッ!!
ちょ! まさか…
はあッ!!
やめて――ッ!!!

コッ
こんな
高さから
飛び降りたらッ！
骨折る
くらいじゃ
済まない
ぞーーーッ!!

ガッ
!!
ザッ
ヒャウ!?
!!
ザシ
逃がしはせぬッ!
ヒャヒ…ッ
ジャキ!!
おい貴様!私に代わってこいつを捕らえ…
がしッ

し…死ぬかと思った…!!
む
……!!!
ぎゅうぅ
わうあぁぁぁあああ!!
どッどこを触っているーッ!?
離さんか馬鹿者ーッ!!
ちょ!そんな暴れたら…!!
く〜…!!!
お落ち…
ズル
うあッ!?

ひぅ…ッ♥
き 貴様
わざとやって
ないか…!?
むに
むにゅ
うおぁぅ
落ちるっ
おのれ…ッ!!
私に乗っただけ
でなくこんな
辱めまで…ッ!
後で
どうなるか
覚えて…

ビリー

どはぁぁあえあ！！
ガシャアーン
あらら…
…って
あれ？
いつまで
走ってるの？
この先
行き止まり
だけど…
ドドドドド
フリーズ中
ちょ!?
こちもかぁぁあ!!
ああ!!
ガシャアーン

パラ
パラ
う……
おのれ…!
好き放題しおって…!

ハァ
ハァ
私の…
胸を…
………
ピクッ
むにっ
もにゅ
うーん…
ビクッ
私は何を…!?

や奴め…ッ
剣の錆びにしてや…
チャ

ギル

こ…
この馬女
があ〜〜〜ッ!!
!!
馬刺しにしたらアッ!!

ザ
ザッ
あ…ヤバ…ッ
これ…
死んだ…かな…

と思ったけど大丈夫でした墨須さん
あはは
模造刀だったんですねコレ
死ぬほど痛かったケドね
真剣なんて持ち歩けるわけないでしょ
ところで今どこにいるの？
手当てのためにウチに…
う…話しかけづらい…
やっぱ怒ってるよなぁ…
でも引ったくり犯逮捕するなんて無茶するわね？
いや別に好きでやったワケじゃ…
セントレアがバイクを追いかけるって言うから…
…バイクを？
…まさか彼女に乗ったりしてないわよね？
え

「生涯の主と決めた者しか乗せてはならない」っていう鉄の掟がケンタウロス族にはあるのよ
まぁ彼女らにしてみれば結婚みたいなものかしら？
もし無理に乗りでもしたらそれは…
てごめにしたのと同じようなモノよね
だはぁあああ私のバカ!!

すいませんでしたセントレアさんッ!!
そんな重大なことだとは知らず…！決して悪気があったわけでは…!!
セレア…

セントレアではなく
私のことはセレアと呼んでほしい……
近しい者にはそう呼ばれている

…へ？

むしろ責められるのは私のほうだ
自分勝手な正義感で貴方を巻き込んでしまった
その上こんな怪我まで…

いや…こっちだって断らなかったわけだし…
そんな無理に気を遣ってくれなくても…

そんなことはない!!
がしっ

この胸の
高鳴り…！
解るだろう⁉
私は今
運命を感じて
いるのだ‼
むにゅ
ドキドキドキ

そう！
まるで
ギリシャ神話の
英雄ヘラクレスと
賢者ケイローンの
出会いのように…‼
？
日本のまじないは
すごいものだな…
本当に運命の主と
出会えるとは…

この国に来て…いや
産まれて初めてだったんだ
あんな…身を挺してまで
誰かに守られたのは……

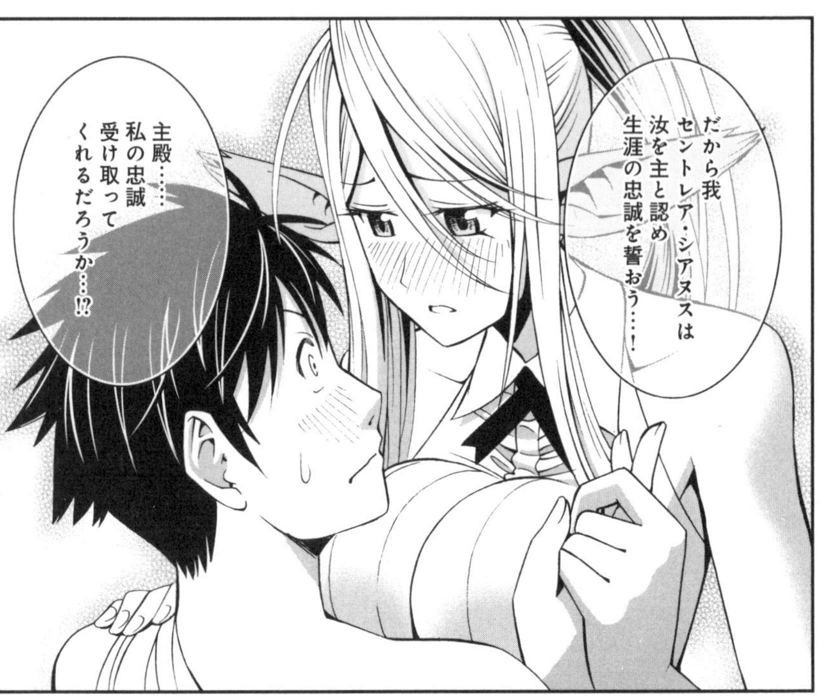
だから我
セントレア・シアヌスは
汝を主と認め
生涯の忠誠を誓おう…!
主殿……
私の忠誠
受け取って
くれるだろうか…!?

セ…
セレア…

ああッ!?
だぁりんが
また外で女
作ってきたーッ!?
ご主人
おなか
すいたーッ!!

だ……
だぁりん
だと…!?
なんだこの
女たちは!?
不純だぞ
主殿!
あぁッ!?
だぁりん
どうしたの
その怪我ッ!?
ごはん
まだ～!?
あぁ もう
どうすれば
いいんだ…
いいか!
私がここに来た以上
今までのようには
いかないと思え!
まず
主殿のことを
第一に
考えてだな
だぁりんのことなら
いつも一番に
考えてるもん!
パピも
考えてる
よ～
だったら
誰か家事
手伝ってくれ…

モンスター娘のいる日常
Everyday that there is a monster girls.

やはりちゃんとトーストを咥えるべきだったか…!?
その知識どこで仕入れたの…
不覚ッ!!

第5話
Monster Bakery

はい！
それでは他種族間交流法のおさらいです！
まず第一に！人間と他種族は互いに傷つけあってはいけません！
続いて第二！ホストファミリーの同行無しでの外出は禁止！

そして第三！これが一番重要!!
ホームステイ先では先輩留学生が一番偉い!!
カキ カキ カキ カキ
1番
だぁりん
ラブ
はぁ
3番 2番
はぁ
だから私の言う事には従うように！
勝手に法を改正するな！
蛇足だぞ
そーなのかー！
騙されるなパピ!!

わかりましたかー？セントレアさーん？
やかましい!!
だいたい何故私にまで言う!?他種族間交流法はちゃんと覚え…
墨須さんがホームステイ先申請の書類を書いといてってさー
セレアー
ガチャ

？

ちゃんと覚え…？
いやっそれはっ
あああちょっとミーア!!
これにはワケがあって…
ふあああああ
ガチャ
ミーアが起きる前にお風呂用意しとかなきゃ…

〜〜〜ッ!!?
ビシャ
セレアが朝
運動の後
シャワー浴びるの
知らなかったから
まぁ
僕のせい
だよ
そ!
そんな事は!
ゴ!!
朝駆けの件を
主殿に伝えて
いれば こんな
事には…
すまない…
大丈夫だよ
まぁ慣れてる
から……
ピク
ピク

あーもう！
だぁりんてば
セントレアばっか
かばって!!
セントレアは早く
ホームステイ先
申請の書類
書いて！
まったく！
ケンタウロスは
乱暴だよ！
裸見られた
くらいで！
な!?
ガバッ
バカでもわかる

自分を棚に
あげて
よく言う！
墨須殿から
聞いたぞ！
主殿の肩を外した
そうじゃないか！
あ…あれは
キモチが抑えられ
なくって…
…!!

それに比べ主殿は
私を守るため
悪漢の凶刃に
立ち向かったのだぞ!!
わッ 私だって！
だぁりんは私のために
不良をやっつけて
くれたもん!!
ぶ
バカでもわかる

ちょっと
２人とも
いい加減に…
もぅ
もぅ

…？
何だ？
この
湯気は…
シュウウウウウウウウ

シュウウウウウウウウ
うわ!?

どーしたパピ!?
知恵熱!?
タシュゾクランコーホーとかむつかしすぎるよ……
ううう…
水浴びしたい～
そーだ！ご主人一緒に水浴びしよーよ！
一人じゃツマンナイし
ええ!?
それならミーアかセレアに頼んで…
私はだぁりんとお風呂に入ったことあるもん！
私は主殿に胸をもまれたぞッ!!
何それうらやましいッ!!
……

♪
つめたッ
キャプ

じゃ早速♪
ぬぎっ
ちょっと待ったぁ!!

今回は墨須さんが用意してくれた水着があるから!
ぷ
かっ
ぱぴ
…なんでスク水なのかは知らないけど
サイズがあうのそれだけだったのよ

じゃあ パピ それに着替えて
それまで外にいるから着たら…

この手じゃ着替えられないいんだけど

じゃあ次は反対側の穴に足を通して…
こう？
…そー言われても見えてないからようわからんけど…
ううう…何でこんな事に…

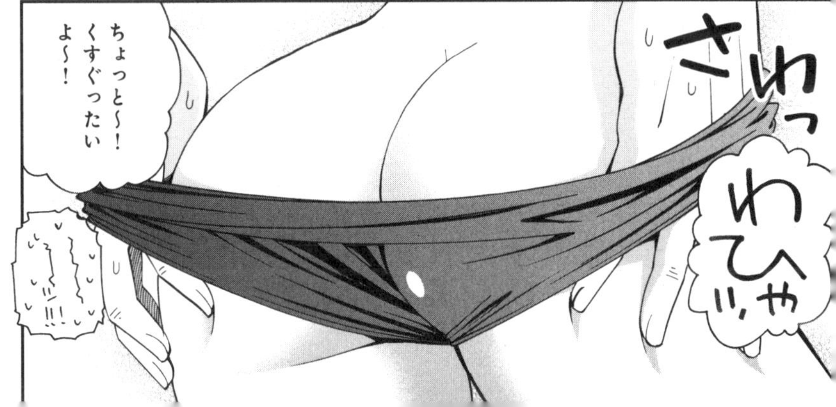
さわっ
わひゃ!!,
ちょっと～！くすぐったいよ～！

…じゃあ
最後に
ここに腕
通して…
ふー……
う～
羽根が邪魔で
入んないよ～

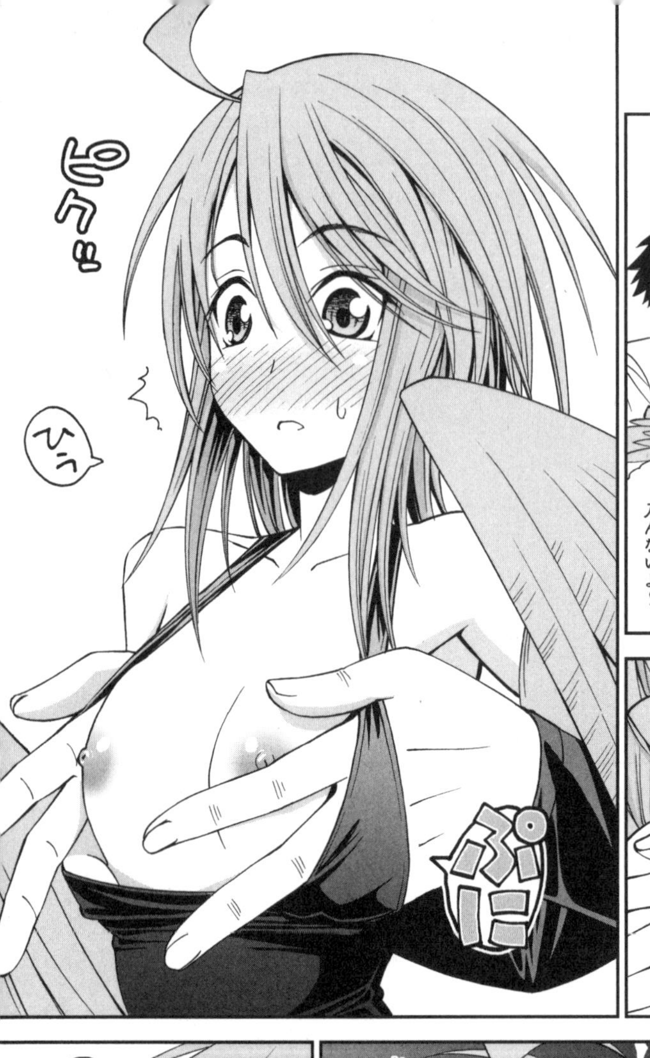
ピクッ
ひぅ
ぷに

大丈夫
水着は伸びる
から……
ス
ル

ドキ
……
ドキ
ドキ
ミ…!!!

……
ご主人
……？

だぱぁぁん
ば‼
ゴメン…ちょっと僕は頭冷やしてるから…
プカ〜〜
パピは好きに遊んでていいよ…
?
ギュ
ギュ

ザ
じゃあパピも頭冷やす〜ッ♪
ふはぁキモチいい〜♡
‼
ブニー

…これじゃ親子のラッコだな…
ていうかしずむミ
パピは兄妹だと思うなッ♪
?
パピにお兄ちゃんがいたらご主人みたいなカンジかなって思って〜♪
僕が?
だってだって一緒に遊んでくれるし♪
いけないことしたら優しく注意してくれるし♪
アイスも買ってくれるし♪
それにほめてくれるし…♪
ハーピーには女の子しかいないから
モゾ
モゾ
お兄ちゃんがどーいうのかはよくわからないけど……

でも昔から
あこがれてたから
いまは
すっごい
嬉しいんだ♪
ま…まぁ
お兄ちゃんがわり
ってんなら
別にいいかな……
ぎゅ
ぽぁ

だから
兄妹どうし
仲良くショ？
!?
ぷに

ちょ!?
ナニを!?
さっきご主人に
おっぱい
触られた時
すごいドキっと
したの!
だから
もっと
ドキドキ
しようよ!!
兄妹は
そんな事
しません!!

えーい!
抵抗する
かーッ!?

だったら
力づく
でーッ!!
わーっ!?

ヒュオッ
ザクッ
ズドッ
ぴゃっ!?
めっ!!
まったく…!
子供だと思って
大目に見てきたが………!
私と
同い歳だと!?
なら好き勝手な
マネはさせん!!
ガッ!!
セレア…
行きましょう
主殿!
私の背に!
うー!
おのれー!!
矢が
とれない!!
ちょっと
まったぁ!!

だぁりんを
助けるのは
私の役目だってのに
抜け駆けしてッ!!
ただでさえ
最近出番
少ないのにッ!!

でも!!
ホームステイ先
申請用書類
セントレア・シアヌス殿

もうすぐ
墨須さんが
書類取りに
来るん
だから!!
セントレアは
申請書を
書いて!!
だぁりんは
私が…

守る…
パラ
パラ
パラ

……
このまま
公園まで
行こう
主殿
そうすれば
パピは
追って
来れまい!
単独行動は
禁止だからな

カッ
カッ
カッ

大丈夫か
主殿？
あ？
ああ
大丈夫
セレアの背中で
風切ってたから
服も乾いたよ
そうか…
なら…
……手を
離してもらえない
だろうか…？
もにゅ

ごッ！
ゴメン!!
決して わざと
では……!!
ぷるん
い
いや
大丈夫だ
主に仕える
者として
大した問題
ではない
ばっ
主に仕えるって
そんな
大げさな…
大げさ
ではない!!
私達ケンタウロスは
主君への忠誠心を
最も尊ぶ
誇り高き戦士!!
父も祖父も
曽祖父も
代々そうして
生きてきた!!
だからこそ
仕える主を
探して
いたのだ!!
私も一人の
女である前に
騎士なのだ!!
ばいーん
ドドドドドド
これが我が
種族の
精神!!
大げさなどと
言うことは……
そーだ
そーだ
わかった！
わかった
わかった
から!!
何それ
スタンド!?
でも……

ここは
日本なんだからさ
ケンタウロスの文化も
大切だろうけど…
もう少し
肩の力を
抜いてても
いいんじゃない？

そんな事
………!!
折角の
他種族間
交流法
なんだからさ
そのために
来たんだし
何か
してみたい事
とかないの？
……

その……

手を……
つないでみたい……
かな……
と……
手を？
いや……今まで握った物といえば剣か弓くらいだったから
その…

人間社会の女の子ならそうするかと思っただけで……
別に深い意味は……
……ッ
いいや！主に仕える者としてあるまじき発言だった！
今のは無かった事にー……
ばっ!!

ぎゅっ
こんなカンジ？
………

………
……？
あの…セレア？
どしたの？
チラッ

カァァァァッ

!?
セレア!?
どーいう表情!?
み!見ないでくれ!!
自分でもどんな顔になってるかわからないんだ!!

いやでも見るなと言ってるだろうに――ッ!!
ドズーン
あたたた…
!?
パラ
パラ

何すんのよ
パピー!!
いったーい
だって
降ろせって
言うから
落とせとは
言ってない!!
今日は厄日か

な!?
お前ら
何故ここに!?
単独行動は
禁止と自分で
言ったろう!?
バレなきゃ
セーフ
なの――
!!
……
ピク
ピク
ピク
セ~ン~
ト~レ~
ア~!!
ギ
ギ
ギ
ああ いや
これは!!
ぶは

この馬女!!
イチャつくために
だぁりんを
さらうなんて!!
にっ
何が
誇り高い
ケンタウロス
よッ!!
む
な!?

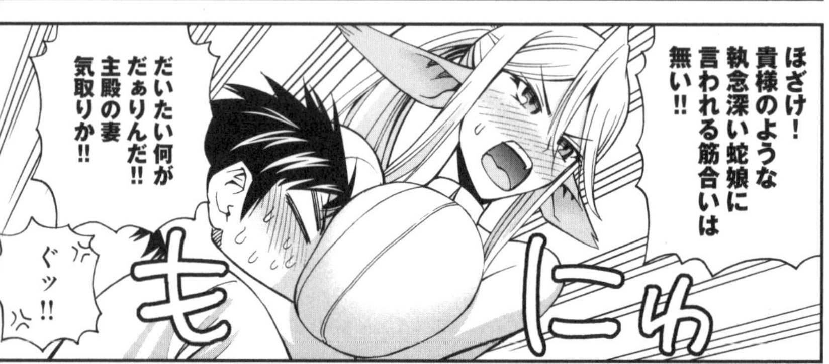
ほざけ!
貴様のような
執念深い蛇娘に
言われる筋合いは
無い!!
だいたい何が
だぁりんだ!!
主殿の妻
気取りか!!
にゅ
も
ぐッ!!

じゃぁ
間を取って
ご主人は
パピが
もらうね!
ぺたっ
手羽先は
下がってろッ!!

キィーー
ギャー
ギャー

あの子達
………!?
こうなっ
たら〜〜〜!!

力で決着
つけようじゃない!!
ちょッ

あの雰囲気はヤバいわね……!!
ダッ
チャ
三人ともやめ……
ばッ

ドドドドーン
ドバス
バス
ドバス
あだだだあ!?

あ

な!?
墨須さん!?

何を…
ぐ
らっ

ばたん
だッだぁりんッ!?
ご主人ーーッ!?
主殿ッ!?

いや～
まさかだぁりんクンに当たっちゃうとはね～
麻酔弾とはいえ三発も当たってよく大丈夫だったわね～？
大丈夫じゃないスよ…
まだクラクラするし…

お願いだから黙っててね！責任問題になっちゃうから！
……

そういえば三人は？
いつもならすぐ飛んで来そうなのに…

じーーーっ
ビクッ

何してんの
皆？
だって……
私達が
勝手な事したから
だぁりんが
こんな事になった
ワケで……
ゴメンね
ご主人…
主に仕える者
として
失格です…

だから
これからはね！
だぁりんに迷惑
かけないように！
ちゃんと我慢して
いこうって
皆で決めたの！

我慢？
ピクッ

だからパピは
ご主人と
遊ぼうとか
言わないよ！
私も己の分を
超えた事は
二度としないと
………
何言っ
てんの!!

確かにやりすぎの時だってあるし…
三人がケンカするのはよくないけど
今回一番悪いのは墨須さんなんだしさ
ブッ

それにトラブルだってあるよ
だってそれを乗り越えられるかを試すホームステイなんじゃないの？
それにホームステイしてるって事は僕達は家族って事でしょ？

だからさ…家族なんだから
遠慮とか我慢とか
そういうのは無しでいこうよ！

なら
丁度
よかった！

家族…
家族ね！
フフフ…！
フフフフフフ
やっぱり
だぁりんクンに
皆を
お願いして
正解だった
わね…！
？

実は最近
他種族間交流法を
改正しようって
動きがあってね
まぁ細かいトコが
ちょっと変わる
程度なんだけど

その中に
「人間他種族間の
結婚を許可する」
っていう項目
があるの
でもそれが本当に
可能かどうかを試す
テストケースを
探してたトコなのよ

……
え!?
って事は
要するに
………
そう！

だぁりんクン
あなたは
この三人の
誰かと…
結婚して
もらうわ!!
け…
結婚…
!!?

モンスター娘のいる日常
Everyday that there is a monster girls.

オマケの日常

だぁりんって何フェチ？
え？何？？
いいから答えて！
私くびれには自信あるよ！
ラミア族はこーやって腰を動かして移動するから
フリ
フリ
スル
スル
だから腰回りは引き締まるんだ♪
セントレアはおっぱいだよね？
でも大き過ぎない？
ぱっ
やめんか!!
ぼいん
コッこれはケンタウロス族の特徴だッ!!
私達は赤ん坊の時から体が大きいから大量に授乳する必要があるんだ！
だからこういうサイズなのであって…！
要するにセントレアは乳牛って事？
もしやって思ってたケド
違うわ!!

だ…だがまさか他の種族とこんなに差があるとは…
じゃあパピは…
あいつは幼児体形だからな…
順番で言うとお尻？
お尻がどーかした？
わあちょっと!! やめんかパピィ!!
ぬぎっ
や…やはりおかしいだろうか？
たぷん
それでだぁりんは何フェチなの!?
くびれ!?
お尻!? それともおっぱい!?
…
脚
あらじゃあ私？
あはは

モンスター娘のいる日常
Everyday that there is a monster girls.